Joachim Masannek

Die wildesten Sprüche!

Illustrationen von Jan Birck

BAUMHAUS
VERLAG

Dieses Sprüchebuch
basiert auf der Buchreihe
Die Wilden Fußballkerle
von Joachim Masannek

ISBN 3-8339-3155-8

© 2005 by Baumhaus Verlag GmbH, Frankfurt a. M.
Die Wilden Kerle TM © dreamotion media GmbH

Grafik: Norbert Maier/Jan Birck/Hans-Christian Clas
Redaktion: Gabi Strobel

Gesamtverzeichnis schickt gern:
Baumhaus Buchverlag GmbH,
Juliusstraße 12, D-60487 Frankfurt am Main
http://www.baumhaus-verlag.de

INHALT

EINFACH WILD!

Alles ist gut,
solange du wild bist!

Die Wilden Kerle

Wer die Wilden Kerle verlässt,
ist ein Verräter.
Es sei denn, er wird
zum Weichei und tritt
freiwillig und auf
der Stelle in einen Bastelverein
für Weihnachtsschmuck ein.

Die Wilden Kerle

Wer heimlich in der Badewanne
singt, ist nur noch unsichtbar wild.

Wer einmal ein Wilder Kerl ist, der bleibt das für immer.
(Sagt das euren Vätern, wenn sie lieber Fußball im Fernsehen anschauen, als mit euch zu kicken. Denn dann waren sie auch früher nicht wild.)

ES IST GEIL,
EIN WILDER KERL
ZU SEIN!

Banana Fishbones

Wir schießen euch auf den Mond und danach in die Hölle!

Die Wilden Kerle

Heute ist das Wilde-
Fußballkerle-Land schwarz
und morgen die ganze Welt.

Raaah!

WILDE KERLE
AN DIE MACHT!

Banana Fishbones

Ein Wilder Fußballkerl
gibt nicht auf. Er gibt sich
höchstens geschlagen.

Hey, hört ihr mich alle, ich muss euch was sagen,
Der Turnerkreis wird heute verzagen.
Die Kerle da draußen sind zahnlose Tiger,
Die bibbern vor uns wie die Unbesiegbaren Sieger!
Die halten sich schon ihren Ringelschwanzpo.
Denn in Wirklichkeit müssen sie alle aufs Klo!
Doch dafür ist es jetzt leider zu spät ...
Weil sie gleich in die Hölle gehen!
Dort können sie dann jammern, heulen und weinen
Und pupsen wie flitzkackende Hängebauchschweine.

Die Wilden Fußballkerle vor dem ersten
Meisterschafts-Endspiel gegen
den TSV Turnerkreis

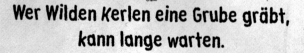

Wer Wilden Kerlen eine Grube gräbt, kann lange warten.

Reden ist Silber. Schweigen ist Gold.
Wild sein ist besser!

Das Leben ist wild!
    Deshalb lebt keiner, der
nicht wild sein kann, wirklich.

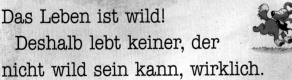

**ES GIBT NUR EINEN SIEGER. WER EUCH ETWAS
VON ZWEITEN, DRITTEN ODER VIERTEN SIEGERN
ERZÄHLT, DEM IST SEIN HERZ DURCH DIE HOSE
BIS IN DIE SOCKEN GERUTSCHT.**

„Genau. Und in diesen 30
Sekunden sollten sie
daran denken, was Ihre
Angestellten von Ihnen
denken. Ich meine, wenn
ich denen erzähl, dass
ihr Sohn Maxi zwei
Wohnzimmerfenster
zerschossen hat, und
einen Globus vor Ihren Kopf, ohne
auch nur einen Tag Hausarrest dafür
zu bekommen."

Leon, der Slalomdribbler, als er im zweiten Wilde Kerle–Film
Maxis Vater ein Angebot macht, das dieser nicht ablehnen kann.

WER IMMER NUR BRAV IST,
WIRD NIEMALS ERWACHSEN.

Wilde Kerle sind wie Piraten,
Piraten in der Erwachsenenwelt.
Denn viele Erwachsene haben verges-
sen, was es heißt, wenn man wild ist.
Und deshalb müssen Wilde Kerle
genau wie Piraten ganz oft
was Verbotenes tun.

Wer immer mit den Hühnern schlafen geht,
sieht nie die Sterne. Und die sind wunderschön.

Das Wilde Fußballkerle-Land ist das Land, in das sich kein Erwachsener freiwillig hineintraut. Doch dort, das sage ich euch, leben die Guten. Jetzt stellt euch mal vor, wie gefährlich es in den Graffiti-Burgen, in der Steppe jenseits des Sternschnuppenwalls oder in der Nebelburg ist.

DIE WILDEN KERLE EROBERN DIE WELT!

„Für mich ist die Welt erst dann wild genug, wenn Hühner schwarze Eier legen."

Joschka, die siebte Kavallerie

„Natürlich ist wild sein gefährlich.
Aber es ist noch viel gefährlicher,
wenn man unsichtbar wild ist."

Raban, der Held und Manager der Wilden Fußballkerle e.W.

„WILD SEIN KANN MAN NICHT SPIELEN.
MANN KANN NICHT SO TUN, ALS OB MAN
WILD IST. DAS WÄRE JA SO,
ALS WÄREN DIE WILDEN KERLE
ERFUNDEN. DABEI GIBT ES SIE
DOCH. WIR SIND ECHT."

Felix, der Wirbelwind

„Lachen ist wild. Ja, Lachen ist
vielleicht das Wichtigste, was ein
Wilder Kerl können muss. Und
wenn er noch wilder ist, bringt
er die andern zum Lachen.
Deshalb ist Raban für mich der
wildeste Kerl."

Marlon, die Nummer 10

„Wer wild ist, der handelt,
der tut selber was.
Wer immer nur redet
oder vor dem Fernseher sitzt,
der träumt höchstens davon,
dass er wild sein könnte."

Maxi „Tippkick" Maximilian, der Mann mit dem
härtesten Bumms auf der Welt

„ICH WEISS NICHT, WAS WILD
IST, ICH BIN EINFACH SO, WIE
ICH BIN. UND WENN DAS WILD
IST, DANN BIN ICH DAS GERNE."

Annika, die Drachenreiterin

„Wild sein heißt für mich: mit dem Kopf
durch die Wand. Tja, und manchmal
holt man sich dabei 'ne blutige Nase."

Deniz, die Lokomotive

„Wenn die ganze Welt wild
wär´, nun, das wär´ gut.
Aber wisst ihr, dann wären wir,
die Wilden Kerle,
einfach noch wilder."

Rocce, der Zauberer

„Auch der Wildeste unter Tausend braucht mal
'ne Pause, in der er nicht wild sein muss."

Fabi, der schnellste Rechtsaußen der Welt

„Wild sein heißt,
dass man auch
allein sein kann."

Juli „Huckleberry" Fort Knox, die Viererkette in einer Person

**„WO EIN WILLE IST, IST AUCH EIN WEG.
EINEN WILDEN WILLEN, MEIN ICH,
UND EINEN WILDEN WEG."**

Leon, der Slalomdribbler

„Nun, ein netter Kinderbuchautor
würde jetzt sagen, wir sind elf
Freunde und ein kuscheliger Hund
und wir spielen für unser Leben
gern Fußball. Aber ich bin kein
netter Kinderbuchautor. Ich bin ein
Wilder Kerl und das hier, was Ihr
hier lest, ist auch kein Kinderbuch.
Das hier ist echt: so echt wie das
Leben. Genau! Und deshalb ist mein
Hund Socke nicht nur ein
Kuscheltier, worauf Ihr Gift nehmen
könnt, und wir sind nicht nur elf
Freunde. Wir sind viel mehr:
Wir sind gefährlich und wild!"

Leon, der Slalomdribbler,
in Band 1 ganz am Anfang, als alles losgeht

Wer nichts zu verlieren hat,
kann nur noch gewinnen.

Raban, der Held und Joschka, die siebte Kavallerie im zweiten
Wilde Kerle–Film vor dem Spiel gegen den SV 1906

WILDE KERLE
HALTEN KEINEN
WINTERSCHLAF!

WILDER FUSSBALL

„Eine Fußballmannschaft ohne
Gegner ist wie ein Indianer,
der nicht auf Büffeljagd geht.
Sie ist wie Luke Skywalker, der
sich vor Darth Vader
versteckt oder wie der
FC Bayern, wenn man die
Bundesliga abgeschafft hat."

*Willi, der beste Trainer der Welt, als sich die Wilden Kerle
nicht trauen, gegen die Bayern zu spielen.*

Kids kicken täglich. Kids kicken cool.
Wer nicht kickt, der tickt nicht
richtig, sag mal, wie tickst du?

Banana Fishbones

Lass uns Fußball spielen!

Die Wilden Kerle

Wer nicht besser sein will, als andere, sollte als erstes beim Fußball die Tore abbauen. Denn beim Fußball geht es darum, dass man besser ist Da geht´s ums Gewinnen.

Joachim Masannek

Ihr müsst nicht unbedingt besser sein als die andern. Ihr müsst nur so gut sein, wie ihr es könnt. Doch dafür müsst ihr verflixt alles geben!

WENN EINER SICH ÜBER DEN FEHLER EINES ANDEREN FREUT, MACHT ER SELBST DEN DÜMMSTEN FEHLER. UND DAS MIT ABSICHT, WAS NOCH VIEL SCHLIMMER IST. DAS IST SO, ALS WÜRDET IHR IM FUSSBALL GEGEN EINEN GEGNER GEWINNEN, DER TAUSENDMAL SCHLECHTER IST ALS IHR, UND DANACH WÜRDET IHR DENKEN, IHR SEID DIE BESTE MANNSCHAFT DER WELT.

Das Schöne am Fußball ist,
dass man dafür keinen
Führerschein braucht.
Man muss nicht erwachsen
werden, um es zu spielen.
Schon als Kind spielt man
nach den selben Regeln wie
die ganz Großen und was
noch besser ist: Man kann
gegen die Erwachsenen
spielen und man kann sie
besiegen.

EINES DER SCHÖNSTEN GEFÜHLE
IST ES, WENN DER BALL GANZ
SATT UND FETT IN DAS
TORNETZ KNALLT UND DIESES
ERBEBT UND ERZITTERT.

Wer gegen Markus ein Tor schießt, kommt ins Guinnessbuch der Rekorde und bestimmt nie wieder raus.

ROAARR

„Ihr seid keine Kerle, Ihr seid höchstens Racker und dass ihr die wildeste Fußballmannschaft der Welt sein wollt, ist deshalb ein Witz. Euer Teufelstopf ist ein Bolzplatz und der schwarze Ball eine Murmel. Euer Baumhaus würde bei uns nur als Gartenlaube durchgehen. Ja, und für die Dimension Acht, in der ihr herumkickt, fällt uns leider nur ein Name ein: Pampas-Liga. Ha! Was sagt ihr jetzt?"

Die Biestigen Biester, als sie die Wilden Kerle in Band 13 herausfordern

„FERIEN OHNE FUSSBALL
IST WIE WEIHNACHTEN OHNE GESCHENKE."

Leon, der Slalomdribbler im ersten Wilde Kerle–Film, nachdem der
Bolzplatz von Willi wegen zu viel Regen gesperrt wurde.

„AN DIE BUNDESLIGA:
TOR IST TOR,
DOCH WILDE TORE
SIND BESSER."

Leon, der Slalomdribbler

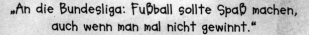

„An die Bundesliga: Fußball sollte Spaß machen,
auch wenn man mal nicht gewinnt."

Raban, der Manager

„An die Bayern: Das Spiel dauert 90 Minuten, auch wenn man nach zehn Minuten schon mit Zwei zu null führt.

Marlon, die Nummer 10

„An den FC Bayern: Cool zu sein, ist schon ganz gut. Doch wenn man wild ist, ist man besser. Also, warum spielt ihr nicht immer so gut, wie ihr könnt?"

Raban, der Manager

„An alle Fußballjournalisten: Warum tut ihr immer so, als ob alle guten Fußballspieler und Fußballmannschaften aus anderen Ländern kommen? Wir sind Vize-Weltmeister und wir wollen – schitte noch mal - stolz darauf sein!"

Vanessa, die Unerschrockene

„Mich interessiert es nicht die Bohne, welches Auto Oliver Kahn fährt. Oder welche Freundin er hat. Mich interessiert nur, ob er hält. Ich knabbere doch auch an meinen Fingernägeln rum. Ja, und manchmal pupse ich und bohr dabei in der Nase. Heiliger Muckefuck! Und trotzdem bin ich der schnellste Rechtsaußen der Welt."

Fabi, der schnellste Rechtsaußen der Welt

„Ob ich gerne eine Junge wär´? Ha, auf jeden Fall bin ich manchmal sehr gern ein Mann. Besonders bei uns im Teufelstopf, wenn wir einen Angriff spielen. Wenn Deniz, Felix oder Fabi den Ball in den Sechzehner schlagen, dann bin ich gerne der freie Mann, der die Pille im Kasten des Gegners versenkt."

Annika, die Drachenreiterin

Trainiert eure Schwächen.
Sie sind eure wirklichen Stärken.
Wer seine Schwächen trainiert,
wird unbesiegbar und wild!
Das ist so wie bei einem
Fußballspieler, der so lange
trainiert, bis er mit beiden Füßen
gleich gut spielen kann.

Joachim Masannek

AUS FEHLERN KANN MAN
LERNEN, ABER NUR WENN
MAN SIE WIEDER GUTMACHEN
WILL. DAS GILT SELBST FUR
FEHLER, DIE MAN NICHT
ABSICHTLICH MACHT. ODER
WOLLT IHR ETWA BEHAUPTEN,
DASS ES BEIM FUSSBALL FUR
UNABSICHTLICHE FOULS KEINE
FREISTÖSSE GIBT?

Wenn jemand behauptet,
Fußball sei die ernsteste Sache
der Welt, dann ist er ein
Lügner. Fußball ist nämlich
noch viel ernster, wisst ihr!

ERST WILDER MEISTER,
DANN WELTMEISTER.

RAAAH!

Die Wilden Kerle

„Die sind nicht nur in der Bundesliga die beste Mannschaft der Welt. Nein, auch die Jugendmannschaften der Bayern sind nicht zu besiegen. Das werdet ihr sehen. Sobald der Anpfiff ertönt, wechselt der Rasen sofort seine Farbe. Aus grün wird dann rot. Die haben nämlich nicht nur einen Juli „Huckleberry" Fort Knox. Die haben sieben davon. Ihr werdet euch fühlen, als spielten 28 Mann gegen euch und ihr wärt allein auf dem Platz."

Willi, der beste Trainer der Welt, vor dem Spiel gegen die Bayern in Band 2

„Ich versteh nicht, dass es verboten ist, dass Frauen in der Männer-Nationalmannschaft spielen. Ich meine, wenn wir nicht gut genug sein sollten, dann muss man uns doch einfach nicht nehmen. Aber wenn etwas verboten ist, dann bedeutet es immer eine Gefahr. Eine Gefahr, vor der man sich fürchtet und schützen muss. Tja, und jetzt frage ich euch: Wenn sich die Männer-Nationalspieler vor Frauen fürchten und schützen müssen, nur weil die Fußball spielen, sollten dann nicht lieber in Zukunft nur Frauen in der Männer-Nationalmannschaft spielen? Denn wir haben keine Angst vor den Kerlen. Das sage ich euch!"

Vanessa, die Unerschrockene

28

„Wenn jeder Fußballspieler in Deutschland ein Wilder Kerl sein würde, dann würden wir alle vier Jahre Weltmeister werden."

Billie, der Flugzeugpropeller–
Ringelsocken–Klapperschlangen–Mann

„ICH MEIN, WENN MAN IMMER NUR DEN ANDERN DIE SCHULD GIBT, DANN MACHT MAN SICH SELBER ZUM OPFER. UND WENN MAN EIN OPFER IST, KANN MAN NICHTS TUN. DANN WIRD MAN VOM SPIELER ZUM BALL, UND DER WIRD NUR RUMGEKICKT UND GETRETEN."

Willi, der beste Trainer der Welt

WILDE ANGST, WILDER MUT!

„Ein Wilder Kerl sollte
jeden Tag etwas Neues
ausprobieren. Jeder Tag
sollte eine Mutprobe sein."

Willi, der beste Trainer der Welt

Wer Angst vorm Verlieren hat,
will nichts riskieren.
Und wer nichts riskieren will,
der will nicht gewinnen.

ES IST NICHT NUR ERLAUBT, DASS IHR FEHLER MACHT – ES IST ÜBERLEBENS-NOTWENDIG. WICHTIG IST NUR, DASS IHR SIE NICHT ABSICHTLICH MACHT.

Wild sein heißt, dass ihr euch traut, das zu tun und zu sagen, woran ihr glaubt, auch wenn die andern euch deshalb auslachen könnten. Denn wenn ihr das nicht tut, seid ihr nur noch unsichtbar wild, und das heißt nichts Anderes als das: Ihr seid feige.

Angst hat jeder, das könnt ihr mir glauben.
Vielleicht habt ihr Angst, allein in den Keller
zu gehen oder vor der Klasse zu sprechen.
Vielleicht habt ihr auch Angst, dass ihr beim
Fußball versagt. Und diese Angst kann
niemand verhindern. Das ist nun mal so.
Mit der Angst müsst ihr leben. Doch es gibt
einen Trick, dass die Angst unwichtig wird,
und dieser Trick ist ganz einfach: Ihr müsst
nur zugeben, dass ihr Angst vor was habt.
Versucht das doch mal, und ich versprech
euch, dann wird sie ganz klein. Doch
wenn ihr das nicht tut und eure
Angst nur verheimlicht, dann
wird sie ganz groß und ganz
stark. Dann macht sie euch
klein und das sieht ganz armselig
aus. Das könnt ihr mir glauben.
Das sieht dann so aus, als würde
der Schwanz mit dem Hund wedeln können.
Stellt euch das doch mal vor.

Joachim Masannek

32

„DIE WELT DREHT SICH WEITER UND DAS JEDEN TAG. JEDE STUNDE UND JEDE SEKUNDE. DAS EINZIGE, WAS BLEIBT, IST, DASS SICH ALLES VERÄNDERT. VOM GIPFEL DER MEISTERSCHAFT IN DER DIMENSION 8 FÄLLT MAN URPLÖTZLICH DIREKT IN DIE HÖLLE."

Markus, der Unbezwingbare vor einem ganz großen Alptraum

Da holte der Dicke Michi tief Luft und blies mir, als würde ein Rhinozeros furzen, die karierte Mütze vom Kopf.

Juli „Huckleberry" Fort Knox, als er sich in den Klauen des Dicken Michi befindet.

„Gegen die Unbesiegbaren Sieger
den Schwanz einzuziehen, war so,
als würden die Bayern gegen
Buxtehude verlieren."

Juli „Huckleberry" Fort Knox,
als der Dicke Michi droht,
ihn zu foltern.

„Ich krachte gegen das Führerhaus
und mit dem Aufprall, der meine
Knochen wie Mikadostäbe auf der
Ladefläche verteilte, erlosch mein
letzter Rest Galgenhumor
wie eine Kerze
im Sturm."

Juli „Huckleberry" Fort
Knox, als der Dicke Michi
seine Drohung wahr macht.

34

Versucht immer, euch an
den Starken zu messen.
Wer nur gegen Schwächere
gewinnen will, ist unsichtbar
wild und das heißt:
Er ist feige.

Joachim Masannek

„IN DER PIEKFEINEN ALTEN ALLEE
STAND DIE UNERSCHROCKENE
PLÖTZLICH VOR IHR, ALS HÄTTE MAN
EINEN ALLIGATOR IN DEN
KOMMUNIONSUNTER-
RICHT GEBEAMT."

Maxi „Tippkick" Maximilian erzählt in
Band 7, wie Vanessa, die Unerschrockene
seine kleine Schwester von der Notwendig-
keit einer Horrorgruselnacht überzeugt.

„KRAKE, SENSE UND KONG, DIESE MISTKERLE, KAMEN DOCH TATSÄCHLICH, WIE DREI GRINSENDE TIGERHAIE IM KINDERPLANSCHBECKEN, DIREKT AUF MICH ZU."

Juli „Huckleberry" Fort Knox beschreibt, wie ihn die Unbesiegbaren Sieger auf dem Schulhof erpressen.

Ich holte mein Herz aus der Hose heraus und band es mir um den Hals.

Maxi „Tippkick" beschreibt, wie er seinen Mut wiederfindet

„Ich klaubte die letzten Reste meines
Mutes auf dem Küchenfußboden
zusammen. Ich presste und knetete
sie zu einem Klumpen, der groß genug
war, um mich ein letztes Mal
in Joschka, die siebte Kavallerie,
zu verwandeln, und dann zog ich mich
an der Tischplatte hoch.“

Joschka, die siebte Kavallerie,
beschreibt in Band 9, wie er es schafft,
dem Monster direkt ins Auge zu sehen.

„Angst ist wild. Wer keine
Angst hat, der kann nicht wild
sein. Wer keine Angst kennt,
kennt keinen Mut.“

Vanessa, die Unerschrockene

„EIN BOXER SCHLIESST NIEMALS DIE AUGEN. SELBST WENN DIE FAUST DES GEGNERS DIREKT AUF IHN ZUGERAST KOMMT. WENN ER DIE AUGEN ZUMACHEN WÜRDE, DANN STECKT ER DEN KOPF DOCH NUR IN DEN SAND. UND DANN GIBT ES PRÜGEL. DANN KOMMT GLEICH DIE NÄCHSTE FAUST HINTERHER."

Willi, der beste Trainer der Welt

„In den nächsten Tagen
war es nur still. Wisst ihr,
wie still es ist,
wenn man nicht redet? Wenn man
urplötzlich so stumm ist wie ein
glubschäugiger Fisch?
Schneeflocken-schmelzen-auf-
Fensterglas-still.
Ja, so still. Und in der Nacht hieß
die Stille dann Wind-schabt-über-
Schneeharsch-auf-Dach.
Oder: Einsamkeits-
Eiszapfen wachsen. Fensterkreuz-
wandert-vor-Autoscheinwerfer-
über-die-Wand. Oder:
Der-Computer-meines-Vaters-
im-Arbeitszimmer-geht-um-halb-
drei-in-der-Früh-endlich-aus."

Maxi „Tippkick" Maximilian, nachdem er beim Silvester-
Mitternachtsschock seine Stimme verloren hat

„Ich schlotterte einfach.
Denn Schlottern hilft,
wenn man am Ertrinken ist.
Wenn man sich verloren hat
und nicht mehr weiß, wer man ist.
Ja, dann hilft es, die Augen zu
schließen und einfach zu spüren,
ob noch was schlottert und wo.
Denn da ist man dann. Da findet man
sich dann irgendwo wieder."

Deniz, die Lokomotive, in Band 7 über die Angst und den
Schmerz, die man empfindet, wenn man nicht mehr weiter weiß

WILDE FREUNDE

Freundschaft ist, wenn sich das Leben so anfühlt, als würde man mit seinem besten Freund Seite an Seite in zwei vergoldeten Silberpfeilen direkt in den Sonnenuntergang fliegen, und das mit 988 Sachen.

Fabi, der schnellste Rechtsaußen der Welt, nachdem Leon ihm das neue Geheimversteck mit der P51 Twin Mustang gezeigt hat.

WER NUR WAS VON FUSSBALL
VERSTEHT, VERSTEHT AUCH
DAVON NICHTS, DENN
FUSSBALL IST MEHR.
FUSSBALL IST
FREUNDSCHAFT
UND EINE GUTE FUSSBALL-
MANNSCHAFT IST EINE RICHTIGE GANG.
SIE BAUT BAUMHÄUSER, SIE WAGT
MUTPROBEN UND IN IHR IST JEDER IMMER
FÜR DEN ANDEREN DA.

„Meine Mutter wird mich fesseln und
knebeln. Sie wird mich an ihren
Aktenschrank binden und dann stellt
sie meine Cousinen davor. Als die drei
apokalyptischen Wächter von
Rüschenland Rosa, und gegen
Rüschenland Rosa, das sage
ich euch, ist Mordor ein
Rehpinscher-Pups."

Raban, der Held, als Leon in Band 13 den
Wilden Kerlen vorschlägt, den Urlaub mit ihren
Eltern zu schwänzen und stattdessen nach
Hamm in Westfalen zu fahren, um gegen die
Biestigen Biester zu spielen.

EIN WILDER KERL KOMMT SELTEN ALLEIN.

„Brüder müssen sich streiten. Ich mein, wenn
sie wirklich wild sind. Wenn man ihnen das
Streiten verbietet, ist das so, als würde man
aus einem Grizzly einen Tanzbären machen:
mit abgeschliffenen Krallen und Zähnen."

Leon, der Slalomdribbler

„WILD IST, WENN FREUNDE WICHTIGER SIND. WICHTIGER NOCH ALS EINE WELTMEISTER-SCHAFT."

Jojo, der mit der Sonne tanzt

„Oh Mann! Und Au Backe! Leon, natürlich bleiben wir das. Das verspreche ich dir. Wir bleiben zusammen, bis wir als ‚Die Wilden Mumien' bei der Altersheim-Stadt-meisterschaft spielen."

Fabi, der schnellste Rechtsaußen der Welt, als er Leon in Band 8 vor der Hallen-Stadtmeisterschaft verspricht, dass sich nie was verändert.

WILDE JUNGS UND WILDE MÄDCHEN

„Wenn man einem Rudel Tigerhaie begegnet und einer der Haie einen zum Freund haben will, dann fragt man nicht nach, ob dieser Hai ein Mädchenhai ist."

Joschka, die siebte Kavallerie, als er sich in den Fängen der Flammenmützen befindet und Sexy James nett zu ihm ist.

Mädchen sind giftig und stinken.

Raban, der Held

Irgendwann

passiert es euch allen.

Es kann ganz langsam passieren
oder ganz schnell.

Dann stellt ihr irgendwann
fest, dass Mädchen nicht giftig
sind und dass sie nicht stinken.
Oder besser gesagt: Ihr stellt es
euch vor. Ihr stellt euch vor, dass
sie gut riechen könnten und ihr
versucht zu erraten, wie es schmecken
würde, wenn man sie küsst: Vielleicht
wie Fischstäbchensandwichs mit
Ketschup, wie Erdnussflips, wie
ein fettes Brot mit Nutella oder
wie irgendwas Anderes, das
ihr gern esst: wie Bismarck-
hering mit Zwiebeln zum Beispiel.
Ja, und wenn das passiert, dann
denkt euch gar nichts dabei.
Ihr werdet einfach erwachsen.
Und das, das werdet ihr doch bestimmt
nicht abstreiten, ist die beste Sache
der Welt.

♥ ♥ ♥ **Liebe Vanessa!** ♥ ♥ ♥
Nein, das ist falsch:
Geliebte Vanessa!
Ohne dich ist die ganze Welt nur
noch schwarz–weiß.
Weil deine Augen, wenn sie gehen,
die Farben mitnehmen.
Weil ohne dein Lächeln die Sonne
nicht scheint.
Und der Wind zum Sturmregen wird.
Ohne dich fehlt jedem Kampf, den
ich kämpfe, der Grund.
Und meinem Herzen das Feuer.
Ich kann dich nicht zwingen,
dass du zurückkommen sollst.
Aber ich bitte dich.
Mit allem, was ich hab und was mir
etwas bedeutet.

Für immer,
dein Leon. ♥

Leon, der Slalomdribbler und die Wilden Kerle
im zweiten Wilde Kerle–Film

„Der Pudel meiner Oma hat eure Barbiepuppen zerfleischt! Und ich hab ihm dabei geholfen. Wir hatten einen Mordsspaß!"

Raban, der Held zu seinen drei rosa Cousinen im ersten Wilde Kerle-Film.

„Dann machen wir erst das Mädchen und dann den Dicken Michi platt."

Markus, der Unbezwingbare, als er im ersten Kinofilm Vanessas Einladung zu ihrem Fußballelfmeter-Turnier annimmt.

„Vanessa hat es erwischt. Sie hat sich verknallt. Bei ihr sind die Sommersprossen explodiert."

Die Wilden Kerle und Maxi „Tippkick" Maximilian über Vanessa, als sie sich im zweiten Wilde Kerle-Film in Gonzo Gonzales verliebt

MÄDCHEN
SIND SCHEISSE!

Leon, der Slalomdribbler im Liebessong „Ich hasse dich schrecklich!"

Mein netter Freund Vanessa. Ich liebe deinen Hinterradreifen.

Leons erster Versuch, einen Liebesbrief an Vanessa zu schreiben im zweiten Wilde Kerle-Film

„Und sie ist auch kein Mädchen, hast du gehört! Sie ist ein Monster. Ein Alien! Ja, das ist sie, verflixt. Und zwar so eins mit riesigen Zähnen. Sie hat ein Glubschauge, hier auf der Wange, und Fell auf dem Po."

Vanessa, die Unerschrockene, als sie in Band 12 Oma Schrecklich von ihrer ersten Begegnung mit Annika, der Drachenreiterin erzählt.

„Die Frau, die zu dieser Stimme gehörte, trug ein rosa Kostüm mit passendem Hut und Kunstleder- täschchen. Mit ihren paarundsiebzig Jahren sah sie aus wie eine gefriergetrocknete Barbiepuppe ..."

Vanessa, die Unerschrockene,
als sie uns in Band 3 zum ersten Mal
ihre Oma, Oma Schrecklich, beschreibt.

Ich klau dir die Schuhe
von Mehmet Scholl.
Und ich schnapp dir `nen Ball bei
der nächsten WM.
Vanessa, ich zieh
sogar die Schuhe
deiner Oma an
Ich tu alles für
dich, also komm
doch zurück.

Die Banana Fishbones singen im zweiten
Wilde Kerle-Film, was Leon alles für
Vanessa tun würde, damit sie zu den Wilden
Kerlen zurückkommt.

**„LIEBE IST, WENN MAN
ZUSAMMEN ESSEN GEHT
UND ES GIBT FISCH-
STÄBCHENSANDWICHS
MIT KETSCHUP."**

Joschka, die siebte Kavallerie,
über die Liebe im zweiten Wilde Kerle-Film, Teil 1

„Ja, und dann bleibt ein
Fischstäbchensandwich übrig
und keiner will's
essen, weil er's dem
anderen gönnt.
Ja, und während man
wartet, verschrumpelt
das Sandwich.
Terro-touristischer
Valentinstag!

Liebe ist doof."

Joschka, die siebte Kavallerie,
über die Liebe, Teil 2

„Liebe ist wie eine riesige Kaugummiblase. Am Anfang macht's Spaß und dann, wenn's zerplatzt, hat man den ganzen Batz im Gesicht."

Raban, der Held, über die Liebe

„Liebe ist rosa! Ein fetter, rosa Pickel, den man direkt auf der Nase bekommt."

Markus, der Unbezwingbare, über die Liebe
im zweiten Wilde Kerle–Film, Teil 1

„Aber plötzlich ist der Pickel dann weg. Dampfender Teufelsdreck!"

Markus, der Unbezwingbare, über die Liebe, Teil 2

„UND DANN IST MIR SCHLECHT."

Markus, der Unbezwingbare, über die Liebe, Teil 3

"LIEBE IST WIE SCHOKOLADE. WENN MAN ZUVIEL DAVON ISST, WIRD EINEM SCHLECHT."

Vanessa, die Unerschrockene, über die Liebe

„Liebe ist doch nichts anderes als Freundschaft. Nur, dass man sich dann irgendwann küsst."

Marlon, die Nummer 10,
über die Liebe

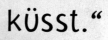

„Liebe ist so rot wie die Nase von meiner Mama. Besonders jetzt, da sie nicht mehr trinkt."

Jojo, der mit der Sonne tanzt, über die Liebe

„Igitt! Kotz! Und Würg"

Joschka, die siebte Kavallerie, über die Liebe

Die Hexe Staraja Riba hatte eine so lange Nase, dass sie sie, wenn sie erkältet war, in den Mund stecken konnte.

Aus dem Buch über die Hexe Staraja Riba

„SO SCHMECKT EIN KUSS VON GONZO GONZALES."

Maxi „Tippkick" Maximilian im zweiten Wilde Kerle–Film

„Oder einer von Sexily James."

Markus, der Unbezwingbare,
im zweiten Wilde Kerle-Film

WILD UND ERWACHSEN

„Ihr wisst schon, Eltern leben in einer anderen Welt. In was für einer, das kann ich nicht sagen. Aber obwohl sie doch da sind, obwohl sie mit uns im Wilde-Kerle-Land leben, kriegen sie das Wichtigste einfach nicht mit. Und das, obwohl wir sie manchmal doch brauchen. Beim garstigen Hexenzauber! Versteht ihr das nicht?"

Markus, der Unbezwingbare

„Manchmal wünsche
ich mir, ich wär'
ein Indianer, und könnte
mit meinem Vater auf
Büffeljagd gehen."

Juli „Huckleberry" Fort Knox

„Manchmal wünsche
ich mir, ich könnte auch
arbeiten. Wer Geld verdient
ist nämlich viel größer. Nur Kinder
bekommen immer alles
geschenkt."

Rocce, der Zauberer

„Jeder muss für etwas
Verantwortung tragen.
Selbst die Kleinsten
müssen das tun.
Denn wer sich um nichts
kümmern muss, der ist
doch gar nicht wichtig."

Joschka, die siebte Kavallerie

„Ich hasse es, wenn mich mein
Vater gewinnen lässt.
Aber ich freue mich
auf den Tag, an dem
ich ihn schlage."

Rocce, der Zauberer

„A–haber
meinst du
nicht auch,
du kannst an mich glauben,
wenn ich ma–hal verlier?
Weißt du, das könnte mir
das Gewinnen viel einfacher
machen."

Deniz, die Lokomotive, in Band 7 zu seinem Vater,
der unbedingt will, dass Deniz immer gewinnt

„Er war jetzt ganz freundlich und seine Augen leuchteten wie Sterne in einer mondlosen Nacht. So liebte ich ihn. So war er mein Vater."

Deniz, die Lokomotive, in Band 7, nachdem er sich endlich mit seinem Vater versteht

„DAS IST, ALS OB ES IM SOMMER IN BRASILIEN SCHNEIT. VERSTEHT IHR? DANN, WENN ES GANZ HEISS IST UND MAN ES VOR HITZE NICHT MEHR ERTRÄGT."

Marlon, die Nummer 10, und Rocce, der Zauberer,
als sie in Band 10 erfahren, dass die Wilden Kerle
bei der Kinder-Weltmeisterschaft mitmachen dürfen.

„DORT, WO ICH WAR, WAR ES SO WIE DER MOND. DER LEUCHTET NICHT SELBST, VERSTEHST DU. DER KRIEGT SEIN LICHT VON DER SONNE. DOCH GESTERN, BEIM FUSSBALL-TURNIER, DA HAT ES GEREGNET. JA, UND TROTZDEM BIN ICH DURCH DIE SONNE GETANZT UND WIR HABEN GEWONNEN."

Jojo, der mit der Sonne tanzt, als er in Band 11 seiner Mutter
erklärt, warum er von seinen stinkreichen Adoptiveltern zu ihr
und den Wilden Kerlen zurückgekehrt ist.

„Wenn man wild ist,
will man zum Horizont,
zum Horizont und noch
weiter."

Leon, der
Slalomdribbler

„WER
SEIN FAHRRAD NICHT
SELBST FLICKEN KANN,
DER HAT KEIN FAHRRAD
VERDIENT. BESONDERS
KEINS MIT EINEM
EXTRA BREITEN
HINTERRADREIFEN."

Hadschi ben Hadschi ben Hadschi ben Hadschi,
das Obsthändler–Geheimerfinder–Phantom

„Ich reckte und streckte mich wie ein Hund, der von drei Leuten gleichzeitig gekrault wird."

Jojo, der mit der Sonne tanzt, in Band 11, als es ihm wirklich gut geht

„DAS HAT DER HEILIGE DONNERSCHLAGVOGEL HÖCHSTPERSÖNLICH IN DEN SCHICKSALSFELSEN GERITZT."

Rocce, der Zauberer, wenn er ganz sicher ist, dass etwas Bestimmtes passiert.

„Dafür leg ich meine Beine ins Feuer. Meine Beine, meine Seele und mein ganzes Herz."

Die Wilden Kerle

„UND MEINE TORWARTHANDSCHUHE."

Markus, der Unbezwingbare

NOCH MEHR WILDE!

Eltern, die an der Außenlinie stehen und aufs Fußballfeld brüllen sind wie Idioten, die gegen den Wind pissen wollen. Das ist fürchterlich peinlich und geht niemals gut.

KINDER WOLLEN NUR EINS:
SIE WOLLEN
ERWACHSEN WERDEN.

Cornelia Funke, am Anfang ihres Romans „Herr der Diebe"

Für Kinder ist die Kindheit manchmal wie lebenslänglich Gefängnis. Stellt euch mal vor, ihr seid sechs Jahre alt und müsst darauf warten, dass ihr erwachsen werdet. Das dauert zwölf Jahre. Das ist doppelt so lang, wie ihr bis dahin schon auf der Welt seid. Das würde bedeuten, dass ein Erwachsener, der dreißig ist, so lange warten muss, bis er neunzig Jahre alt wird. Und wer wird das schon. Ich mein, wer wird schon so alt?

Joachim Masannek

FERNSEHEN GUCKEN AM MORGEN MACHT DUMM! DASSELBE GILT FÜR COMPUTERSPIELE.

Selbst eine Niederlage kann ein Sieg sein. Aber nur dann, wenn man weiß, man hat alles gegeben.

„IHR PANTOFFEL-KICKER!

IHR WEICHBURGER!

ICH ZIEH EUCH GLEICH

BALLETT-RÖCKCHEN AN!"

Der Trainer des SV 1906 zu seiner Mannschaft, als die Wilden
Kerle plötzlich gewinnen – im zweiten Wilde Kerle–Film

Ich sag dir und ich sag dir, ich kann es nicht fassen.
Die Hälfte der Welt wird mich echt dafür hassen.
Ich erklär den Wilden Fußballkerlen den Krieg.
Ich setz alles auf Sieg!
Denn die Stadt ist zu klein!
Viel zu klein für uns zwei!
Die Nebelburg ist der einzige Zwinger.
Das Heim der Wilde Kerle-Bezwinger.
Oh Gott, ja ganz deppert, Zerschepper, Kawumms!
Die Stadt gehört uns!
Und deshalb muss Camelot fallen.
Mit all seinen Türmen und Hallen!
Ohohoho!
Das ist nun mal so!
Und ihr kommt leider zu spät!

Gonzo Gonzales' Rapsong, bevor er Camelot,
die Wilde-Kerle-Baumhausfestung, zerstört

WENN IHR NICHT KAPIERT, WAS AN ZU VIEL FERNSEHEN SCHLECHT IST, DANN MÜSST IHR MIR EINE FRAGE BEANTWORTEN: WAS MACHT EUCH MEHR SPASS: WENN IHR IM FERNSEHEN SEHT, WIE JEMAND EIN TOR SCHIESST—ODER WENN IHR SELBER DIE PILLE VERSENKT?

Neid ist das schlimmste Gefühl, das es gibt. Es macht euch klein und unsichtbar wild. Neid ist so, als ob ihr euch freut, dass ihr gegen jemand nur deshalb gewinnt, weil er sich mitten im Spiel beide Beine bricht.

„Wenn man der Beste sein will, wird man von allen gejagt. Und dann kann man sich nicht mehr verstecken. Dann schrumpft die Welt auf die Größe eines Golfballs zusammen – und hast du dich schon mal auf einem Golfball versteckt?"

Markus, der Unbezwingbare

„Die Schreckliche
Berta war eins-
achtzig groß und
genauso tief
wie breit.
Sie war ein
lebendiger Quader,
eine aus einer Anaconda
und einem Sumo-Ringer zusammen-
gepresste mächtige Wand.
Sie rollte die ganze Nacht durch die
Flure und sie verkündete jedem,
der es noch nicht wahrhaben wollte:
Weihnachten fällt nicht nur dieses Jahr
aus. Du wirst es nie mehr erleben!"

Marlon, die Nummer 10, als er in Band 10 die Oberschwester
beschreibt, die ihn nie mehr aus dem Krankenhaus herauslassen
wird.

„Der Atem des Dicken Michi rasselte wie der eines Pottwals, der einmal um die ganze Welt getaucht ist."

Leon, der Slalomdribbler in Band 1 über den Dicken Michi

„NEIN!", GRINSTE MARLON. „AUF GAR KEINEN FALL. DAS WÄRE JA SO, ALS WÜRD´ SICH EIN GRIZZLY-BÄR BRÜSTEN, DASS ER NOCH WILDER ALS EIN GOLDHAMSTER IST."

Marlon, die Nummer 10, als Leon in Band 13 meint, dass Marlon genauso wild sein kann wie er, sich aber ja nichts darauf einbilden soll.

„Wild ist halt wild.
Wilder ist wilder. Doch am
besten ist es, wenn man
am wildesten ist."

Fabi, der schnellste Rechtsaußen der Welt.

ZICKEZACKE,
WILDE KACKE!

EIN WILDER
KERL MACHT
NOCH KEINEN
SOMMER, ABER
EINE WILDE ZEIT.

„Kanalrattenschweinefurz,
das Leben ist viel zu kurz!"

Der Dicke Michi, immer wenn er Süßigkeiten sieht.

„Das Leben ist anstrengend.
Es ist so, als wenn man gegen
einen stärkeren Gegner gewinnt."

Felix, der Wirbelwind

„Wenn die Wilden Kerle wilder sein wollen als wir, warum leben sie dann nicht bei uns in der Steppe?"

Der Dicke Michi

„Weil ein Ork ein Ork ist und weil kein Hobbit freiwillig in Morder leben würde, du dumpfgebackener Schwabbelbauch!"

Fabi, der schnellste Rechtsaußen der Welt

„Und das sollst du auch! Du sollst ganz lange leben, hörst du! Damit du all die Qualen, die ich dir zufügen werde, auch so richtig genießen kannst!"

Leon, der Slalomdribbler, zu seinem Bruder Marlon in Band 10

„Ja, aber was mache ich?
Ich bin Ersatzmittelstürmer.
Ich meine, ein Ersatzmittelstürmer
mit zwei falschen Füßen.
So was gibt es doch nicht."

Raban, der Held, als er Willi danach fragt,
wer in der Bundesliga auf der selben Position spielt wie er.

Lügen haben dicke Beine
und zwar die vom Dicken Michi.

ICH BIN STOLZ DARAUF,
EIN WILDER KERL
ZU SEIN!

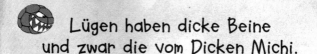

Wir auch!